1 In diesem Buchstabenhaus sind die Buchstaben nach dem Alphabet geordnet. Schreibe den dazugehörigen kleinen Buchstaben unter den großen Buchstaben!

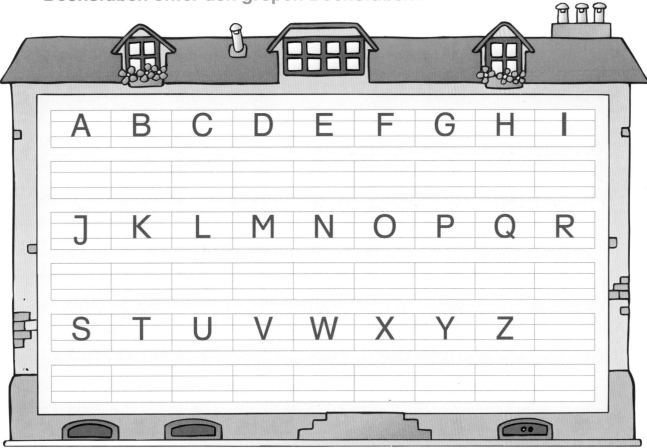

2 Bei diesem Alphabet der kleinen Buchstaben gibt es einige Lücken! Setze die fehlenden Buchstaben ein!

		c		e		g		i			l	

		o			r	s					x	

3 Schreibe den Buchstaben-Nachfolger unter die vorgegebenen Buchstaben! Wie heißen die Wörter? Schreibe sie auf!

R	b	g	t	k	d
S	c				

J	h	m	c	d	q

K	d	g	q	d	q

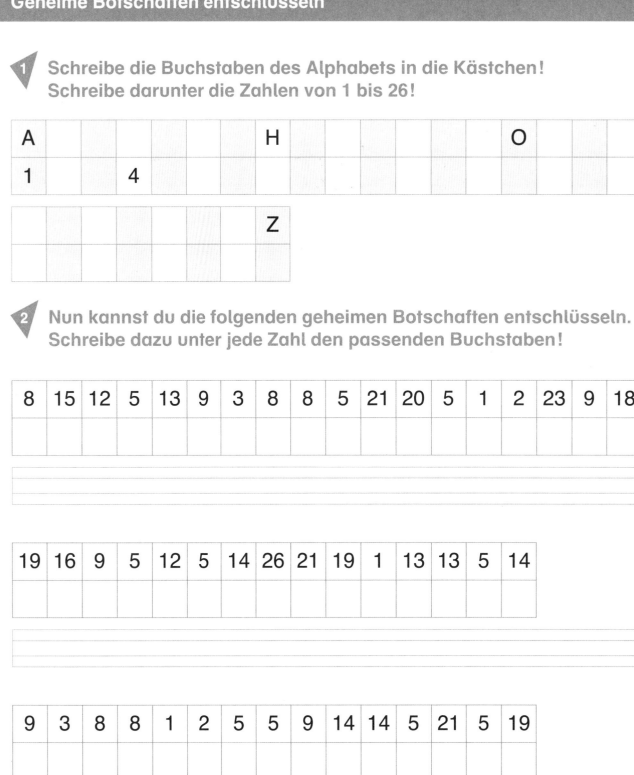

1 Schreibe die Buchstaben des Alphabets in die Kästchen!
Schreibe darunter die Zahlen von 1 bis 26!

A				H						O			
1		4											

					Z

2 Nun kannst du die folgenden geheimen Botschaften entschlüsseln.
Schreibe dazu unter jede Zahl den passenden Buchstaben!

8	15	12	5	13	9	3	8	8	5	21	20	5	1	2	23	9	18

19	16	9	5	12	5	14	26	21	19	1	13	13	5	14

9	3	8	8	1	2	5	5	9	14	14	5	21	5	19

19	16	9	5	12	2	5	11	15	13	13	5	14

Fit für die Schule

Dein Start in die 2. Klasse!

Schreiben und Lesen

Von Peter Kohring

Illustrationen und Gestaltung
von Atelier Frey & Müller

STOCKMANN Tessloff

Jnhaltsverzeichnis

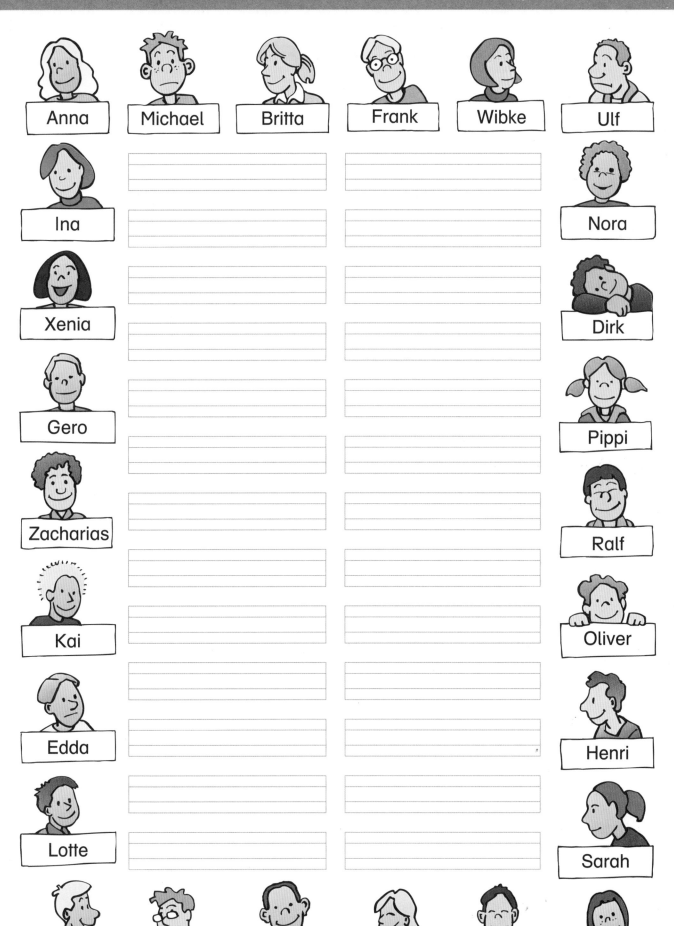

Anna Michael Britta Frank Wibke Ulf

Ina Nora

Xenia Dirk

Gero Pippi

Zacharias Ralf

Kai Oliver

Edda Henri

Lotte Sarah

Jan Valentin Quintus Yvonne Tim Christina

5

1 Schreibe die Namen der Kinder auf!

Rieke Nina Florian Dirk

Ralf Linda Ellen Mark

2 Ordne alle Vornamen nach dem Alphabet!

3 Ordne die Vornamen der Kinder nach Jungen und Mädchen!

4 Schreibe hier deinen Vornamen auf!

**Jeder Mensch hat einen oder mehrere Vornamen.
Vornamen schreibst du groß.**

In diesem Haus wohnen 21 Familien. Die Namensschilder sagen dir, wie die einzelnen Familien heißen.

●	Specht	●	Groß	●	Maurer
●	Kurz	●	Fuchs	●	Schön
●	Bauer	●	Richter	●	Vogel
●	Neu	●	Jung	●	Fischer
●	Bär	●	Hahn	●	Blau
●	Gärtner	●	Kaufmann	●	Wolf
●	Lang	●	Fink	●	Bäcker

1 Ordne die Familiennamen nach ihrer Herkunft!

Berufe	Eigenschaften	Tiere

2 Schreibe hier deinen Familiennamen auf.

Jeder Mensch hat einen Familiennamen.
Familiennamen schreibst du groß.

1 Ina will verreisen. Sie packt ihren Koffer. Rahme alle Dinge ein, die nicht in den Koffer gehören!

 2 Unterstreiche die Namen der Dinge, die in den Koffer gehören!

Bär · Hammer · Wecker · Nagel · Taschenlampe · Hose · Zange · Bett ·
Eimer · Strümpfe · Ball · Auto · Topf · Stuhl · Hemd · Lampe · Messer ·
Block· Boot · Schuhe

 3 Schreibe die Namen aller Dinge auf, die Ina in den Koffer packt!

 4 Welche Namen von Dingen stecken in der Wörterschlange?

 Die Namen für Dinge heißen Namenwörter.
Namenwörter schreibst du groß.

Ordne den Zahlen die Namen der abgebildeten Tiere zu!

Maus · Schildkröte · Fisch · Hirsch · Hund · Pferd · Fliege · Vogel · Hase ·
Spinne · Hamster · Kuh · Schlange · Frosch · Katze

1

2

3

4

5

6

7

8

9

10

11

12

13

14

15

**Tiernamen sind auch Namenwörter.
Deshalb schreibst du sie immer groß.**

Schreibe die Namen der abgebildeten Gegenstände und Tiere in die Kästchen! Achte darauf, dass du in jedes Kästchen nur einen Buchstaben schreibst!

 Welche Vornamen entdeckst du in der Wörterschlange?

IDAALEXANDERNINASASCHAFABIANKLARAANNA

 Kannst du auch die Rückwärtswörter in der Schlange erkennen?

NEVSIAKAIRAMASILNAITSABESNAIROLFANIN

 Diese Vornamen wurden nur halb gedruckt. Kannst du sie dennoch entziffern?

Klara   Alexander   Laura   Tobias

Verbinde die Buchstaben beider Zeilen so miteinander, dass der Name des abgebildeten Tieres entsteht! Schreibe die Namen auf!

T I S R C T O
F A T C H U N

S X H M E U K S
Z C A N V C S E

W K S R S T L
O P M A N I E

M S H R W L
E T M A O I

U D T C O E I
M S A G K N L

U M S N O R E
W E V Q T W S

M H J W U P
O D A R N S

H K U M C E
S T N C G E

 In diesem Bandwurm sind die Namen von Gemüsesorten enthalten. Dazwischen haben sich auch die Namen von Blumen versteckt. Schreibe die Namen der Gemüsesorten alphabetisch auf!

SPINATKAROTTENSCHNEEGLÖCKCHENTOMATENBLUMENKOHLWEISSKRAUT

HUFLATTICHPAPRIKASPARGELKROKUSBOHNENERBSENGURKENRETTICH

Alle Menschen, Pflanzen, Tiere und Dinge haben einen Namen. Namenwörter schreibst du groß.

1 Schreibe die folgenden Wörter unter die richtigen Bilder!

Stuhl · Lampe · Löffel · Apfel · Elefant · Ente · Uhr · Tasse · Glocke · Zange
Uhr · Maus · Glas · Brezel · Rad · Semmel · Ampel · Eimer · Uhu · Trompete
Torte · Gitarre

2 Unterstreiche in jedem Wort den ersten Buchstaben! Schreibe diese 22 Buchstaben in die Kästchen! Die Buchstaben ergeben einen Glückwunsch.

Eine kleine Katze

1 Schreibe diese kurze Geschichte ab und setze dabei die fehlenden Selbstlaute a, e, i, o, u ein!

Th☐m☐s b☐s☐cht ☐m M☐rg☐n Op☐ ☐nd ☐m☐.

Ihr☐ K☐tz☐ h☐t J☐ng☐ b☐k☐mm☐n. Die Klein☐n h☐b☐n

die Aug☐n n☐ch g☐schl☐ss☐n. Th☐m☐s w☐ll auch ein☐

K☐tz☐ h☐b☐n.

2 In diesen Vornamen fehlen die Selbstlaute (a, e, i, o, u). Trage sie ein und schreibe danach alle Vornamen der Reihe nach auf!

S☐ndr☐   S☐b☐st☐an   T☐b☐as

Sv☐n   J☐tt☐   J☐ns   Br☐tt☐

1 Setze die fehlenden Buchstaben in die Lücken ein!

A   E   I

    O   U

a   e   i

    o   u

2 Hier sind Schulsachen und Gegenstände aus deinem
Klassenzimmer abgebildet. Setze die fehlenden Mitlaute in die
Lücken ein!

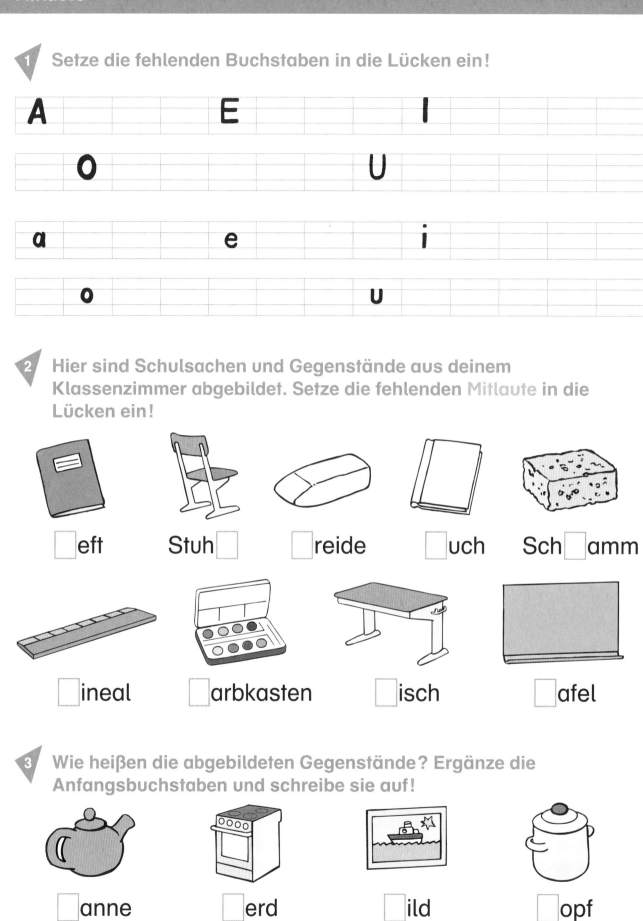

☐eft   Stuh☐   ☐reide   ☐uch   Sch☐amm

☐ineal   ☐arbkasten   ☐isch   ☐afel

3 Wie heißen die abgebildeten Gegenstände? Ergänze die
Anfangsbuchstaben und schreibe sie auf!

☐anne   ☐erd   ☐ild   ☐opf

Auf dem Spielplatz

Laura will sich heute mit ihren Freundinnen vor dem Schulhaus treffen. Leider haben nicht alle Zeit. So kauft sie für das Abendessen ein: beim Bäcker einen Laib Brot und beim Metzger ein halbes Pfund Aufschnitt.

1 Färbe in diesem Text die Zwielaute gelb ein! Schreibe alle Wörter mit einem Zwielaut auf!

2 Ordne diese Wörter mit einem Zwielaut in die Tabelle ein!

Haus · Hai · Leiter · Leute · fein · Laib · laufen · Waise · heute · reisen · Freund · Pause

au	eu	ai	ei

3 Setze in die Lücken die fehlenden Zwielaute ein!

Kl[ ]der zw[ ] dr[ ] f[ ]l F[ ]nd sch[ ]nen

L[ ]s schr[ ]ben Sp[ ]se H[ ]s G[ ]gens[ ]te

Zwielaute bestehen aus zwei Selbstlauten, die beim Sprechen zu einem verschmelzen.

Zu Hause

1 Setze vor die Namenwörter die bestimmten Begleiter (der, die, das) ein!

	Vater		Mutter		Tochter

	Sohn		Baby		Bild

	Buch		Tisch		Tür

2 Ordne die Namenwörter nach den Begleitern!

der	die	das

3 Setze im nachfolgenden Text die passenden Begleiter ein!

Heute ist Markttag. _____ Vater fragt _____ Verkäuferin:

„Ist _____ Brot auch frisch? Kommt _____ Käse aus Frankreich?

Sind _____ Eier von freilaufenden Hühnern? Woher kommt _____

Salat?" Vater packt alles auf _____ Fahrrad.

 Jedes Namenwort hat einen Begleiter. Diese stehen vor dem Namenwort. Die bestimmten Begleiter heißen der, die und das.

Im Spielzeugladen

 Schreibe alle Gegenstände auf und setze vor das Namenwort den unbestimmten Begleiter (ein - eine)!

ein Bär, eine

eine Puppe, eine

Puppe · Kette · Bär · Blume · Katze · Schwein · Luftballon · Puppenwagen · Trompete · Eisenbahn · Brille ·
Ball · Flöte · Maus · Ente · Springseil · Auto · Kreisel · Uhr · Hase

Die unbestimmten Begleiter ein - eine verwendest du, wenn du kein bestimmtes Ding meinst. Die unbestimmten Begleiter stehen auch vor dem Namenwort.

1 Laura hilft ihrem Vater nach dem Einkaufen beim Auspacken. Setze die bestimmten Artikel ein! Vater sagt:

_____ Dose gehört in den Schrank. _____ Wurst kommt in den

Kühlschrank. _____ Paket bleibt in der Küche. _____ Gemüse war

heute ganz frisch. Lass _____ Milch auf dem Tisch stehen! _____

Pullover kommt in den Kleiderschrank. _____ Käse ist noch im Korb.

_____ Obst stellen wir auf den Balkon.

2 Unterstreiche in der Geschichte die bestimmten Begleiter blau und die unbestimmten Begleiter grün!

Eine Kundin betrat mit ihrem Hund das Geschäft. Der Dackel bellte und schnappte nach jedem Kind. Die Verkäuferin bat die Frau: Bringen Sie ihren Liebling nach draußen! An der Mauer war ein Ring zum Anbinden. Die Kundin kehrte in den Laden zurück und kaufte für Waldi eine Wurst. Sonst kaufte sie nichts. Der Speck war zu mager, das Fleisch war ihr zu fett. Eine halbe Stunde später ging die Frau mit ihrem Hund nach Hause. Sie nahm die Straßenbahn. Ein Platz war noch frei. Sie stellte die schwere Einkaufstasche ab.

3 Kannst du die Wörterschlangen entziffern? Schreibe die Namenwörter mit dem bestimmten Begleiter auf!

ESANEGUADNUM ENHÄZRHOERAAH EINKNIEBELHOS LEGANKNELEGREGNIF

_____

_____

Schreibe die Namenwörter in der Mehrzahl auf! Unterstreiche die Buchstaben, die sich dabei verändern!

der Ball, die

der Igel,

der Korb,

der Zug,

die Maus,

der Zaun,

der Apfel,

der Teller,

der Knopf,

die Wurst,

der Hase,

Namenwörter kannst du in der Einzahl und in der Mehrzahl schreiben. Wenn du die Mehrzahl bildest, kann aus einem a ein ä, aus einem o ein ö, aus einem u ein ü und aus einem au ein äu werden. Bei manchen Namenwörtern verändert sich nur die Endung.
In der Mehrzahl gibt es nur den Begleiter die.

Schreibe diese Sätze in der Mehrzahl auf!

Das Pferd trabt in den Wald. Das Kind spielt in dem Sandkasten. Das Segelboot segelt über das Meer. Das Flugzeug fliegt in der Luft. Der Vogel zwitschert auf dem Dach. Der Affe klettert auf den Baum. Das Auto steht in der Garage. Der Zug rollt über die Schiene.

Die Pferde traben in die Wälder. Die

2 **Bilde von diesen Namenwörtern die Einzahl und schreibe sie mit dem bestimmten Begleiter auf!**

Hühner · Männer · Bänder · Dächer · Frauen · Äpfel · Bilder · Flaschen · Federn · Töpfe · Kleider · Körbe · Krüge · Tassen · Birnen

Bei den Zwergen sind alle Dinge viel kleiner. Mit den Nachsilben -chen und -lein kannst du die Dinge verkleinern. Wie heißen die kleinen Dinge?

Bei den Menschen gibt es: Bei den Zwergen gibt es:

die Bank   das Bänkchen

Tisch · Bett · Topf · Stuhl · Schrank · Hut · Puppe · Gabel · Tasche

Wörter mit den Nachsilben -chen und -lein sind Namenwörter. Namenwörter schreibst du groß. Die Nachsilben -chen und -lein verkleinern die Dinge. Wenn -chen oder -lein angehängt wird, verändern sich a, o, u zu ä, ö, ü.

1 Schreibe neben die Bilder die zusammengesetzten Namenwörter!

2 Schreibe die zusammengesetzten Namenwörter auf!

Ein Bein am Stuhl heißt

Ein Buch fürs Telefon heißt

Ein Loch für den Schlüssel heißt

Ein Brot mit Wurst heißt

Ein Stall für Schweine heißt

3 Viele Dinge gibt es im Haus. Baue mit dem Namenwort Haus die anderen Namenwörter zusammen!

Tür

Ordnung   Meister   Arzt

Schlüssel   Dach

Kleid

Treppe   Musik

Jedes Haus hat einen anderen Namen. Setze immer zwei
Namenwörter zusammen und schreibe die zusammengesetzten
Namenwörter auf!

Schul(e)

Tauben

Holz

Rat

Puppen

Lager

Reihen

Schnecken

Stein

Garten

 Bei manchen zusammengesetzten Namenwörtern wird zwischen
Bestimmungswort und Grundwort der Buchstabe „s" eingefügt.

Frühstück + Brot = Frühstück**s**brot

Suche weitere zusammengesetzte Namenwörter!

Weihnachts

Geburstags

Sonntags

Schmetterlings

Aus zwei Namenwörtern kannst du zusammengesetzte Namenwörter bilden. Das erste Wort ist das
Bestimmungswort. Das zweite Wort heißt Grundwort.
Zusammengesetzte Namenwörter erhalten
den Begleiter des Grundwortes.

GRUND WORT

1 Schreibe die Tätigkeiten von Moritz unter die Bilder!

einkaufen · telefonieren · schreiben · duschen · malen · lesen · schwimmen · laufen

2 Schreibe auf, was die Tiere tun! In der Wörtersammlung findest du die richtigen Tunwörter. Ordne sie den Bildern zu!

bellen · fliegen · gackern · gründeln · hüpfen· klettern · kriechen · lauern ·
miauen · pfeifen · picken · quaken · scharren · schwimmen · schlängeln ·
schnattern · springen · watscheln · zischen

 Tunwörter sagen dir, was jemand tut oder was geschieht. Tunwörter musst du klein schreiben.

Berichtige die Sätze und schreibe sie dann auf!

Die Vögel bellen im Käfig. Die Fische gackern im Aquarium. Die Hühner wiehern im Pferdestall. Die Pferde schwimmen im Hühnerstall. Die Hunde fliegen im Hof.

2 **Schreibe alle Tunwörter, die du im Kreuzworträtsel findest, in der Grundform auf! Denke daran, dass du sie alle klein schreibst!**

S	C	H	L	A	F	E	N				S	T	U	N	D	E		
C			A			A	R	M			E		H		I			
H			U			G			T		H		R		E			
A			F	A	L	L	E	N	A		E			B	E	I	L	
T			E	I	L	E	N	S	I	N	G	E	N			E		
T			N		S			T			E					B		
E					E			E			H	U	T			E		
N	A	G	E	L	N	E	H	M	E	N		E			N			
												N						

schlafen

Betrachte dich im Spiegel! Beschreibe, was du siehst!
Unterstreiche in der Tabelle die passenden Wörter!

Gesicht	:	rund, oval, breit, länglich, kantig, schmal, voll
Haare	:	schwarz, weiß, blond, rötlich, lang, kurz, glatt, gelockt
Augen	:	braun, grünbraun, grün, blau, grau, blaugrau
Nase	:	gerade, kurz, lang, schief, dick, dünn, gebogen
Lippen	:	schmal, dünn, dick
Haut	:	braun, hell, blass
Figur	:	groß, klein, zart, kräftig, schlank, dick

2 Schreibe nun in ganzen Sätzen auf, was du siehst und wie du bist!

Ich habe ein _____ Gesicht. Meine Augen sind _____ .

_____

_____

3 Male hier ein Bild von dir!

1 Beschreibe nun, wie deine beste Freundin oder dein bester Freund aussehen!

2 Schreibe auf, wie deine Freunde sein sollen!

ängstlich · mürrisch · mutig · hilfsbereit · zuverlässig · höflich · streitsüchtig ·
lustig · stark · gutmütig · freundlich · unfreundlich · verträglich · leichtsinnig ·
frech · ehrlich · langsam · fleißig · langweilig · unhöflich · angeberisch

Meine Freunde sollen

3 Schreibe auch auf, wie deine Freunde nicht sein dürfen!

Meine Freunde dürfen nicht

**Wiewörter sagen, wie Menschen und Dinge sind und welche
Eigenschaften sie haben. Wiewörter musst du klein schreiben.**

1 Wenn du einige Namenwörter, die den Selbstlaut a, o oder u haben, in die Mehrzahl setzt, ändert sich der Selbstlaut in ä, ö oder ü.

a ⇒ ä   o ⇒ ö   u ⇒ ü

Rand _____   Wort _____   Hut _____

Bad _____   Hof _____   Fuchs _____

Kalb _____   Dorf _____   Kuh _____

2 Wenn du an diese Namenwörter die Nachsilbe -chen oder -lein anhängst, ändern sich die Selbstlaute ebenfalls.

Rand **Rändchen**   Wort _____   Hut _____

Bad _____   Hof _____   Fuchs _____

Kalb _____   Dorf _____   Fuß _____

3 Wenn du eine Tätigkeit einer Person aufschreibst, dann ändert sich bei einigen Tunwörtern der Selbstlaut a in ä.

tragen **er trägt**   fahren _____

blasen _____   schlafen _____

halten _____   laden _____

backen _____   raten _____

Wenn sich der Selbstlaut a, o oder u in ä, ö oder ü verändert, nennt man ihn Umlaut.

Oma macht Großputz. Diese Tätigkeiten übt Oma dabei aus.
Schreibe einfache Sätze auf! Setze am Satzende einen Punkt!

putzen · saugen · fegen · reinigen · wischen · säubern

Oma putzt. Oma

2 Die Tätigkeiten von Oma kannst du genauer angeben. Erweitere die
einfachen Sätze durch folgende Angaben:

den Teppichboden · das Silberbesteck · den Flur · die Gläser · den Boden ·
die Schubladen

Oma putzt

3 Tom beobachtet seine Katze und schreibt diese Beobachtungen in
kurzen Sätzen auf.

| spielen   schlafen |
| fressen   sich kratzen |
| lauern   springen |

| mit einem Ball   auf dem Sofa   aus |
| ihrem Schüsselchen   hinter den Ohren |
| auf eine Maus   auf den Tisch |

Die Katze spielt mit einem Ball.

1 Dennis beobachtet Tiere. Er hat sich Stichworte gemacht, wie sich Tiere bewegen. Schreibe ganze Sätze auf!

Pferd · Fuchs · Hase · Ente · Löwe · Fisch · Schlange · Frosch

hüpft in den Teich · trabt über die Wiese · schlängelt sich durchs Gebüsch · lauert auf Beute · schwimmt im Aquarium · watschelt über den Hof · schlägt einen Haken · schleicht sich an eine Beute an

Das Pferd trabt über die Wiese.

2 Bilde aus dieser Wörterschlange Sätze!

DIEJUNGENWERFENEINENBALLMARKUSTRIFFTEIN

MÄDCHENAMKOPFDIELEHRERINERMAHNTMARKUS

In diesen Sätzen werden Aussagen gemacht. Sie heißen deswegen Aussagesätze. Am Satzende steht ein Punkt.

Schreibe die Fragen auf!

Die Klasse 2b plant einen Ausflug. Die Schülerinnen und Schüler haben noch viele Fragen an ihre Klassenlehrerin. Das hat die Lehrerin auf die Fragen geantwortet: Um 8 Uhr treffen wir uns im Schulhof. Die Busfahrt dauert zwei Stunden. Silvias Mutter begleitet uns. Auf dem Spielplatz könnt ihr spielen. Nach einer Pause wandern wir. Um 16 Uhr holt uns der Bus wieder ab.

Wann treffen wir uns im Schulhof?

2 **Schreibe die passenden Fragen auf!**

Du besuchst einen Freund im Krankenhaus. Du willst wissen,
ob er Schmerzen hat · ob er nachts schlafen kann · wie lange er im Bett
bleiben muss · wann er aufstehen darf · ob er sich langweilt · wann er
entlassen wird · ob die Schwester nett ist · was er am Nachmittag macht

Hast du Schmerzen?

Durch eine Frage erfährst du, was du wissen willst. Wenn du Fragen aufschreibst, musst du am Ende ein Fragezeichen setzen.

Manuel ist beim Sportunterricht verunglückt. Er hat ein Bein gebrochen und muss mehrere Wochen im Krankenhaus bleiben. Seine Freunde besuchen ihn im Krankenhaus. Als sie sich verabschieden, geben sie ihm viele Ratschläge. Sie fordern ihn auf, dass er sich ausruhen soll, dass er sich gut erholen soll, dass er auch die Tabletten nehmen soll, dass er an seine Gesundheit denken soll, dass er seine Freunde nicht vergessen soll, dass er der ganzen Klasse einen Brief schreiben soll, dass er an die frische Luft gehen soll, dass er sich für die Spaziergänge warm anziehen soll, dass er sich schonen soll, dass er auf den Arzt hören soll.

 Dazu haben ihn seine Freunde aufgefordert. Schreibe alle Aufforderungssätze auf!

Ruhe dich aus!

 Sätze, in denen wir etwas ausrufen oder jemanden auffordern, heißen Aufforderungssätze. Nach jedem Aufforderungssatz musst du ein Ausrufezeichen setzen.

David darf mit seinem Bruder nach Dänemark in den Urlaub fahren.
Er überlegt, was er alles mitnehmen möchte.

1 **Schreibe auf, was David mitnehmen möchte!**

Drachen · Decke · Delfin · Duschgel · Rolle Draht · Digitaluhr · Diafilm · Dose · Dackel

Am Dienstag kommt David mit seinem Bruder Dennis in Dänemark an. David
hat vergessen, für seinen bunten Drachen eine Rolle Faden mitzunehmen.
Er geht ins Dorf und kauft in einem kleinen Laden ein. Eine freundliche Dame
bedient ihn.
Am Nachmittag bindet David das Ende des Fadens an seinem Drachen fest.
Dann laufen die beiden Kinder zu einer großen Wiese. Dort will Dennis
seinem Bruder zeigen, wie er am besten seinen Drachen steigen lassen kann.

1 Färbe alle Wörter **blau** ein, die mit dem großen Buchstaben D
beginnen! Färbe alle Wörter **gelb** ein, in denen der kleine Buchstabe
d enthalten ist!

2 Schreibe alle Wörter mit D im Anlaut aus dem Text heraus!

3 Schreibe nun alle Wörter mit d im Wortinnern oder Wortende auf!

4 In den folgenden Sätzen fehlen Wörter, die mit einem D beginnen.
Trage die fehlenden Wörter ein! Diese Wörter helfen dir:
Drachen · Dame · Dackel · Decke · Dach

David spielt mit seinem _____ . Gemeinsam lassen sie ihren

_____ steigen. Sie liegen auf einer _____ . Der Drachen

landet auf einem _____ . Im Laden bedient sie eine _____ .

Der Mitlaut D/d wird weich gesprochen, wie in „Dudelsack".

1 In den Sätzen sind die Wörter durcheinander geraten. Schreibe alle Sätze richtig auf!

Er ins geht Dorf. Eine ihn Dame freundliche bedient. David seinen fest Drachen bindet am Ende des Fadens. Dann die beiden Kinder laufen zu einer Wiese großen.

2 Finde Tunwörter und Namenwörter, die sich reimen!

finden -

der Finder -

wenden -

der Rand -

banden -

der Laden -

3 Du findest weitere Tunwörter, wenn du an die Wortteile die Endung „-den" anhängst.

re   wer   ba   lan

mel   sen   bin   fin

reden

1 Hier siehst du Luftballons mit einer besonderen Aufschrift.
Die Buchstaben kannst du zu Wörtern zusammensetzen.
Schreibe die Wörter auf!

Der Mitlaut T/t wird hart gesprochen, wie zum Beispiel in „Torte".

2 Schreibe immer das Gegenteil auf!

nicht warm, sondern _____   nicht lebendig, sondern _____

nicht jung, sondern _____   nicht schmal, sondern _____

nicht leise, sondern _____   nicht weich, sondern _____

nicht eng, sondern _____   nicht einfarbig, sondern _____

3 Schreibe auf, was Danny alles in seiner Freizeit tut!

spielen · singen · klettern · tauchen · schwimmen · basteln · malen

er spielt

Diese Namenwörter enden alle auf ein d oder t. Bilde zuerst die Mehrzahl und schreibe danach auch die Einzahl auf!

das Rad,

Bilde bei den Namenwörtern die Mehrzahl. Dann hörst du deutlich, ob du am Wortende ein d oder t schreiben musst.

 Schreibe alle Namenwörter in der Mehrzahl auf! Sprich die Wörter in der Mehrzahl ganz deutlich, so dass du am Wortende das d oder t deutlich hören kannst.

das Lan☐   die Länder   der Win☐

der Punk☐   der Hun☐

das Pake☐   die Wan☐

Wiewörter setzt du am besten vor ein Namenwort. Dann hörst du deutlich, ob du ein d oder t schreiben musst.

B (b) und P (p) im Anlaut und Inlaut

1 Schreibe unter die Bilder die passenden Namenwörter! Sprich den Anfangsbuchstaben ganz deutlich!

 Den Mitlaut B sprichst du weich, wie zum Beispiel in „Baum".
Den Mitlaut P sprichst du hart aus, wie zum Beispiel in „Pizza".

1 Fülle die Lücken aus!

le|b|t kommt von   **leben**   , daher schreibe ich |b|

schrei| |t kommt von ⎍⎍⎍⎍⎍⎍⎍⎍ , daher schreibe ich | |

glau| |t kommt von ⎍⎍⎍⎍⎍⎍⎍⎍ , daher schreibe ich | |

trei| |t kommt von ⎍⎍⎍⎍⎍⎍⎍⎍ , daher schreibe ich | |

ü| |t kommt von ⎍⎍⎍⎍⎍⎍⎍⎍ , daher schreibe ich | |

pum| |t kommt von ⎍⎍⎍⎍⎍⎍⎍⎍ , daher schreibe ich | |

2 Bilde die Grundform der Tunwörter und setze danach die fehlenden Buchstaben b oder p ein!

er grä| |t, er schrei| |t, er hu| |t, er pie| |t, er gi| |t, er blei| |t, er fär| |t,

er glau| |t, er we| |t, er rau| |t, er le| |t, er he| |t, er scha| |t, er tra| |t

3 Setze die passenden Wiewörter vor das Namenwort und achte dabei auf den Buchstaben b oder p!

ein gel| |es Auto, das trü| |e Wasser, ein gro| |er Fehler, das lie| |e

Kind, ein mür| |er Keks, ein hal| |es Pfund, eine tau| |e Frau

Wenn du nicht weißt, ob du am Silbenende oder Wortende ein b oder p schreiben musst, verlängerst du das Wort. Bei Namenwörtern bildest du die Mehrzahl. Wiewörter setzt du vor ein Namenwort.

1 Du kannst g oder k im Klang nicht unterscheiden, wenn diese Buchstaben vor „t" stehen. Überlege dir daher zuerst die Verlängerungsform (Grundform des Tunwortes) und trage dann die fehlenden Buchstaben ein!

sie fra◻t   es stin◻t   sie wir◻t   es sin◻t (Schiff)

er fe◻t   sie pfle◻t   er bewe◻t   er mer◻t

er lie◻t   sie win◻t   es blin◻t   er sin◻t (Lied)

es lü◻t   er sä◻t   er qua◻t   sie dan◻t

es fun◻t   sie trä◻t   er schen◻t   er kla◻t

2 In jedem Nest liegt ein Ei, das nicht hinein gehört. Färbe es gelb ein! Schreibe alle Wörter unter die jeweiligen Nester!

Wenn du nicht weißt, ob du am Silbenende oder Wortende ein g oder k schreiben musst, verlängerst du das Wort. Bei Namenwörtern bildest du die Mehrzahl und Wiewörter setzt du vor ein Namenwort.

1 Lies deutlich! Setze den fehlenden Buchstaben g oder k ein und schreibe das Wiewort daneben!

das jun◻e Kind **jung**

der star◻e Kaffee

das lan◻e Gedicht

das flin◻e Wiesel

der stren◻e Lehrer

das wel◻e Blatt

das schrä◻e Dach

das klu◻e Kind

die schlan◻e Frau

der kran◻e Onkel

2 Die Namenwörter sind nur halb gedruckt. Erkennst du sie? Schreibe alle Wörter alphabetisch geordnet auf! Beginne mit den Wörtern mit dem Anfangsbuchstaben G!

Kiste   Gabel   Kugel

Getränk   Kranz   Gesang

3 Jetzt verwechselst du die Buchstaben g oder k nicht mehr. Denke nach und setze die fehlenden Buchstaben ein!

Der Torwart fän◻t den Ball. Der Hund sprin◻t über den Graben. Der Vogel flie◻t auf einen Baum. Mutter par◻t das Auto vor dem Haus. Tim lie◻t schon um 18 Uhr im Bett. Sie hän◻t ihre Jacke an den Haken. Ein Auto bie◻t um die Ecke. Der Lehrer schlä◻t das Buch zu. Mike den◻t sich ein Rätsel aus.

Sp (sp) und St (st) am Wortanfang

1 Färbe alle Namenwörter, die mit St beginnen, **blau** ein!
Schreibe sie mit dem Begleiter auf!

2 Färbe alle Namenwörter, die mit Sp beginnen, **grün** ein!
Schreibe sie mit dem Begleiter auf!

3 Wie heißen die Tunwörter auf den Mauersteinen?

4 Schreibe nun auch alle Wiewörter auf!

Stern	Spur	stehen	stürzen	stoßen	Stift	Spalt
still	Speck	steinig	spülen	spinnen	Stachel	Spieß
Sturm	Spiel	Spaß	stellen	stark	spannen	Stimme
stur	spät	Stoff	Spitze	Sport	Sturz	Spinat
Specht	springen	Stelle	Stunde	steigen	Stein	Storch

1 Mit den Buchstaben auf den Kärtchen beginnen alle Wörter. Mit den Buchstaben der gelben Ballone kannst du Namenwörter bilden. Mit den Buchstaben der roten Ballone schreibst du Tunwörter und Wiewörter.

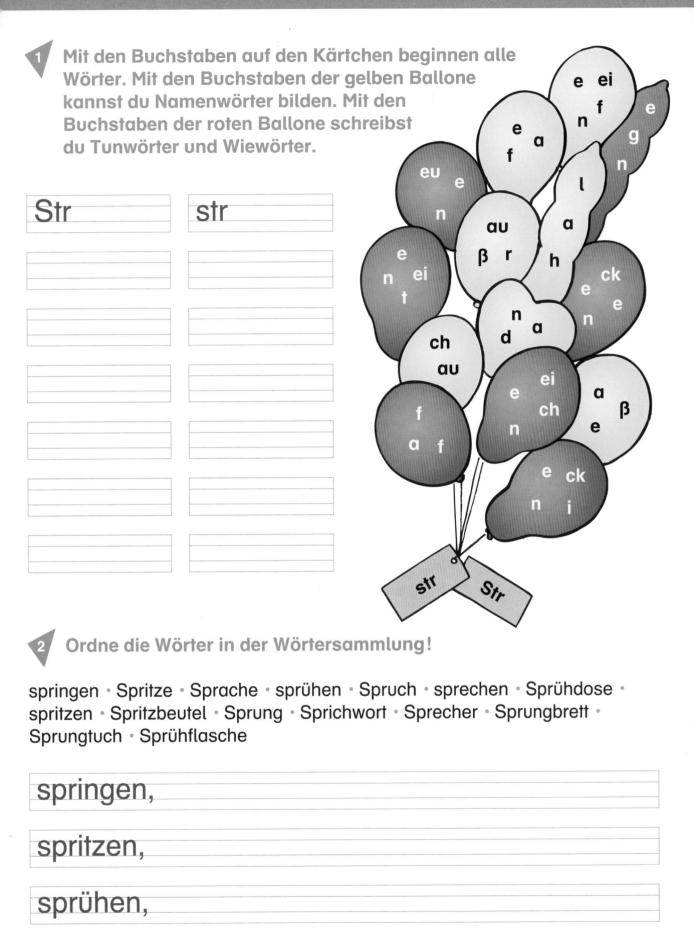

Str

str

2 Ordne die Wörter in der Wörtersammlung!

springen · Spritze · Sprache · sprühen · Spruch · sprechen · Sprühdose · spritzen · Spritzbeutel · Sprung · Sprichwort · Sprecher · Sprungbrett · Sprungtuch · Sprühflasche

springen,

spritzen,

sprühen,

sprechen,

Im Schwimmbad

Es ist Sommer. Tim und Dennis treffen sich am Mittag. Sie gehen in das Schwimmbad. Sie schwimmen um die Wette. Sie tollen herum und fallen ins Wasser. Dann spielen sie mit einem Ball. Nach einer Weile lassen sie den Ball liegen und rennen an ihren Platz. Dennis hat seinen Kamm vergessen.

 Färbe alle Wörter mit einem doppelten Mitlaut rot ein!

 Zu jedem Wort passt ein Baustein. Schreibe alle Wörter auf und färbe die doppelten Mitlaute grün ein!

b?ten, anf?en, tr?en, sch?en, kl?en, j?ern, k?en

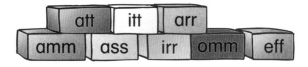

r?en, b?eln, gew?en, kl?ern, schw?en, kn?ern, ?en

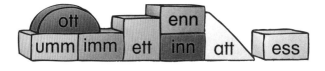

schw?en, sp?en, br?en, einsp?en, m?en, k?en, kl?ern

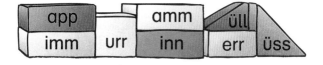

1 Schreibe Namenwörter auf, die sich reimen!

Kutter   Pfanne   Kamm   Stille

2 Verwandle die Namenwörter in Tunwörter!

der Knall   knallen   der Fall

der Schall   die Rolle

der Retter   der Grill

3 Schreibe alle Wörter mit einem doppelten Mitlaut getrennt auf!

Zimmer · Fässer · Wetter · Hammer · Teller · Spinne · Himmel · Brille ·
rennen · kommen · brummen · knallen · knurren · sonnen · klettern ·
rollen · summen

Zimmer

Nach einem kurzen Selbstlaut musst du
häufig einen doppelten Mitlaut schreiben.

1 Setze die drei Teile in die Figur richtig ein und schreibe danach alle Wörter mit einem doppelten Selbstlaut (aa, ee, oo) auf!

 2 Hier sind die Buchstaben durcheinander geraten. Schreibe die Wörter richtig auf!

Kefafe	Sechne	erle	oZo	toBo	sooM	repSe	elKe

araH	aSta	elSee	laSa	oMro	geWaa	fodo	Bete

 **Für die Wörter mit aa, ee, oo gibt es keine Regel. Du musst sie dir merken.**

Nach dem Buchstaben Q/q steht immer ein u.

 1 Es gibt nur wenige Wörter mit dem Buchstaben Qu (qu). Ordne die besonderen Wörter der Wörtersammlung den Erklärungen zu!

Quelle · quasseln · Quittung · quieken · quengeln · quälen · überqueren · qualmen · Quadrat · quetschen · quaken · Qualle

Das hörst du bei Schweinen: _____

_____ : Viel und schnell reden

Bestätigung für eine bezahlte Rechnung: _____

_____ : Hier entspringt ein Fluss

Ein durchsichtiges Meerestier: _____

_____ : zusammendrücken

Ein besonderes Viereck: _____

_____ : Über die Straße gehen

Jemandem Schmerzen zufügen: _____

_____ : Das tun Kinder, wenn sie unbedingt etwas haben wollen

2 Wörter mit dem Buchstaben X (x) sind ganz selten. Ordne sie alphabetisch!

Xaver · Hexe · Xylophon · Nixe · Felix · Axt · Taxi · Haxe · Max · Alex · Boxer

_____

_____

1 Schreibe unter die Bilder die Namenwörter!

B _____ Z _____ S _____ S _____ B _____

D _____ S _____ W _____ B _____ F _____

2 Setze die Reimwörter ein!

Dieb	Ziege	Spiel	Liese	Stier

schieben	zielen	gießen	wiegen	zieren

1 Alle Namenwörter haben sich maskiert. Kannst du sie dennoch erkennen? Schreibe sie auf!

...ied   ...ier   ...rieb   ...iene   ...rief   ...ieb   ...tier   ...apier   ...iese   ...piel   ...tiel   ...ieb   ...liege   ...iel

2 Schneide die Riesen-Wortwürste in passende Stücke und hänge danach an die grünen Wurststücke die Silbe ßen und an die blauen Wurststücke die Silbe gen an!

wiesieliekriebieflie

schliegieflieschie

3 Setze jeweils ein Namenwort der ersten Reihe mit einem Namenwort der zweiten Reihe zusammen! Wie heißen nun die zusammengesetzten Namenwörter?

Spiel   Stier   Bier   Tier   Wiese   Riese   Spiegel   Knie

Blume   Spaß   Heim   Fass   Platz   Kampf   Scheibe   Glas

Der Spielplatz,

In der deutschen Sprache gibt es nur wenige Wörter mit einem langen, betonten i. Du musst sie dir merken.

1 Ordne die Namenwörter der Wörtersammlung nach dem Alphabet!

Maschine · Bibel · Tiger · Fibel · Igel · Apfelsine · Lawine · Kabine · Rosine · Praline

2 Setze die Wörter der Wörtersammlung in die folgenden Sätze ein!

In den Bergen gibt es im Winter _____ .

Der Bauer erleichtert sich viele Arbeiten mit einer _____ .

Der Pfarrer liest am Sonntag aus der _____ vor.

In der ersten Klasse hattest du als Lesebuch eine _____ .

Jana bewundert im Zirkus einen _____ .

Eine _____ musst du vor dem Essen zuerst schälen.

Ein Tier mit vielen Stacheln heißt _____ .

Oma backt einen Kuchen und verwendet dabei auch _____ .

Fabian nascht gerne _____ .

Wer sich im Freibad umziehen will, geht in eine _____ .

1 Suche die passenden Namenwörter und schreibe sie in der Einzahl und in der Mehrzahl auf!

 2 Suche zu den Tunwörtern die passenden Namenwörter!

wählen **die Wahl**   zählen

färben   wärmen

stärken   verlängern

Bei vielen Namenwörtern wird der Selbstlaut (a, o, u) zu einem Umlaut (ä, ö, ü), wenn du die Mehrzahl bildest. Wie heißt die Mehrzahl dieser Namenwörter? Färbe den Selbstlaut und den Umlaut mit der gleichen Farbe ein!

Wort · Buch · Korb · Mutter · Fuß · Stuhl · Topf · Hof · Kuss · Floh · Schuss · Kopf · Tuch · Fluss · Fluch · Busch

Wort - Wörter,

Ordne die Wörter der Sammlung nach dem Alphabet!

Hier sind die Buchstaben der Wörter durcheinander geraten. Kannst du die Wörter erkennen und aufschreiben?

epfKö   terWrö   heFlö   **erüchT**   **feHö**   Stleüh

beröK   erBüch   **öpfeT**   üssKe   **lFeüss**

1 Schreibe unter die Namenwörter in der Mehrzahl das Namenwort in der Einzahl auf!

Freunde   Eulen   Bäuche   Mäuler   Keulen

Mäuse   Steuern   Bäume   Fäuste   Beulen

Du schreibst nur die Namenwörter in der Mehrzahl mit dem Zwielaut äu, die in der Einzahl den Zwielaut au enthalten.

2 Setze in die Lücken die fehlenden Namenwörter ein!

Vor den großen Ferien bekommst du ein _____ .

Ein _____ kann mit Benzin oder Gas brennen.

Kinder bekommen von Eltern und Verwandten _____ .

Ein _____ fliegt über Länder und Meere.

Zur Reparatur benötigt der Handwerker _____ .

Werkzeug · Spielzeug · Feuerzeug · Zeugnis · Flugzeug

3 Schneide die Riesen-Wortwurst in passende Stücke und hänge dann die Silben ern oder en an. Du erhältst neue Tunwörter.

heuldeuterneuleuchtbereufreukeuchfeuzeug

Eine kleine Überraschung

Draußen ist es ziemlich heiß. Lea möchte heute ihrer Freundin etwas zeigen.
Jana ist ganz neugierig und freut sich. Im Garten steht ein Apfelbaum.
Lea nimmt die neue Leiter. Beide Kinder steigen die neun Sprossen hinauf.
Vorsichtig biegt Lea einen Zweig zur Seite. Jana beugt sich vor und entdeckt
ein Nest. Darin liegen vier kleine Piepmätze. Plötzlich kehrt die Vogelmutter
heim. Sie hat einen dicken Wurm erbeutet. Lea und Jana klettern eilig die
Leiter hinunter. Die Vögel sperren eifrig ihre Schnäbel auf.

1 Unterstreiche in diesem Text alle Wörter mit dem Zwielaut eu mit der
Farbe blau und die Wörter mit dem Zwielaut **ei** mit der Farbe **rot**!

2 Füge immer zwei Silben zusammen und schreibe die Wörter nach
dem Alphabet auf!

heu	Freun	**zei**	Lei	**bei**	stei	**Zwei**	schrei
te	din	**gen**	ter	**de**	gen	**ge**	en

mei	heu	rei	feu	zei	freu	blei	leuch
nen	len	men	ern	gen	en	ben	ten

3 Füge die Silben zu Namenwörtern zusammen!

stei · Berg · ger   Zei · fin · ge · ger

heft · Schreib   Feu · wehr · lei · er · ter

Auf dem Spielplatz

Jonas trifft sich heute Mittag mit seinen Freunden auf dem Spielplatz. Alle Freunde sind da. Zuerst belegen sie die Schaukel. Das macht ihnen viel Freude. Julian möchte lieber auf die Rutschbahn. Er hat seine neue Hose an. Er passt nicht auf und fällt auf den schmutzigen Boden. Die Kinder lachen. Fabian klettert auf die Bäume. Er biegt die Zweige auseinander. Jetzt schlägt die Turmuhr. Philipp muss nach Hause.

 Unterstreiche in diesem Text alle Namenwörter mit zwei Silben! Schreibe danach diese Namenwörter nach Sprechsilben auf!

Mit-tag,

 Verbinde die passenden Sprechsilben und schreibe die gesuchten 10 Wörter auf!

Klei	schal	schrank
Trep	der	ze
Haus	pen	ter
Licht	der	haus
Kin	kat	bett

Land	zim	topf
Gar	men	mer
Wohn	re	tür
Blu	ten	gen
Kel	ler	tor

Kleiderschrank,

Nicht immer kannst du die Silbentrennung vermeiden. Trenne nach den Sprechsilben!

1 Wenn du die Riesenwurst an den richtigen Stellen abschneidest und jeweils die Silbe **-sche** anhängst, erhältst du Namenwörter. Schreibe sie auf!

FLATAFIMADUBÜTILA

2 Ordne diese Namenwörter nach dem Alphabet und schreibe sie mit Silbentrennung auf!

Bü-sche,

3 Aus diesen Wurstabschnitten kannst du Tunwörter bilden, indem du die Silben **chen** oder **schen** anhängst.

wadulabesubraubredrefikogleiherrhorkeulaiminaraurie

Tunwörter mit chen:

Tunwörter mit schen:

ch und sch gelten als ein Laut.
Du darfst sie daher nicht trennen.

Sprich die Wörter ganz deutlich und trenne st in s und t!

Fenster · Kiste · Meister · Erster · husten · Schwester · lustig · Masten ·
pusten · rasten · hastig · Kosten · Kasten · düster · Ängste · Würste · finster

Fens-ter,

 Was ist hier abgebildet? Schreibe die Begriffe unter die Bilder!

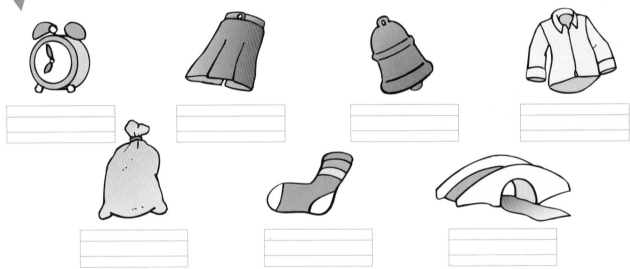

 Bilde die Mehrzahl dieser Namenwörter und schreibe sie getrennt auf!

Rö-cke

ck gilt als ein Laut.
Du darfst ihn daher nicht trennen.

Das ist keine Hexerei!

Es war Winter, und die kleine Hexe saß in ihrem kuscheligen Hexenhaus. Sie war wütend. Den ganzen Abend versuchte sie schon, den Haselnüssen die Schale wegzuhexen. Aber das klappte einfach nicht. Ihr Freund, der schwarze Kater, schaute ihr bereits seit einer Stunde zu. Plötzlich stand er auf und holte den großen Holzschuh. Damit klopfte er auf eine Nuss, und die Schale war in zwei Teile zersprungen. „Siehst du, Nüsse knacken ist ganz einfach", sagte der Kater. „Dazu muss man nicht hexen können."

1 Unterstreiche in dieser Geschichte alle Wörter, die aus zwei oder mehr Silben bestehen!

2 Schreibe die mehrsilbigen Wörter getrennt auf!

Tunwörter:

Namenwörter:

Sonstige Wörter:

Wenn du bei den Tunwörtern die Endung en abstreichst, bleibt der Stamm übrig.

bellen	schallen	knallen	fallen	stellen
er bellt	es	es	es	es

nennen	kommen	brennen	starren	hassen
er	sie	es	er	sie

harren	rennen	murren	kennen	trennen
sie	sie	sie	sie	er

raffen	paffen	gaffen	irren	gurren
er	er	er	er	es

fressen	treffen	fassen	schaffen	hoffen
es	es	sie	sie	sie

schlucken	essen	backen	passen	messen
er	er	er	es	er

brüllen	bücken	blicken	nicken	decken
sie	er	er	er	er

 Färbe die Endungen der Tunwörter rot ein!

 Schreibe in die leeren Felder, was jemand tut!

Die doppelten Mitlaute des Stammes bleiben bei der Personalform erhalten. (kommen – er kommt)

Michelle und Vanessa haben ein Spiel erfunden. Sie schreiben ein Wort auf und suchen dazu passende Wörter, die sich reimen. Wer die meisten Reimwörter findet, erhält einen Punkt.

 Reime wie die beiden Mädchen!

Rose

Reiter

Leine

Speise

Puppe

Stille

Kutter

Feile

fassen

fliegen

gießen

schieben

zielen

rennen

1 Stelle den Wortbaustein den Tunwörtern voran und schreibe die passenden Tunwörter auf!

machen liefern

beißen putzen

heben fragen kochen

fahren

brechen fallen **ab** pfeifen

drehen

fahren fließen binden nehmen

_____

_____

_____

_____

_____

_____

_____

_____

2 Setze aus deiner Sammlung jeweils das passende Tunwort in den Satz ein!

Lea lässt Julia von ihrem Pausenbrot _____ .

Nach einem Halt kann der Zug wieder _____ .

Sarah will den staubigen Tisch _____ .

Beim Kartenspiel musst du ein Karte _____ .

3 Schreibe unter die Namenwörter die passenden Tunwörter!

heben blühen laufen

fallen nehmen

brechen **auf**

bauen regen drucken halten

Aufbruch   Aufdruck   Auflauf   Aufregung   Aufbau

_____   _____   _____   _____   _____

61

Seite 4

1. A1, B2. C3, D4, E5, F6, G7, H8, J9, J10, K11, L12, M13, N14, O15, P16, Q17, R18, S19, T20, U21, V22, W23, X24, Y25, Z26 2. Hole mich heute ab wir spielen zusammen ich habe ein neues Spiel bekommen

Seite 5

1. Anna, Britta, Christina, Dirk, Edda, Frank, Gero, Henri, Jna, Jan, Kai, Lotte, Michael, Oliver, Pippi, Quintus, Ralf, Tim, Ulf, Valentin, Wibke, Xenia, Yvonne, Zacharias

Seite 6

1. Florian, Mark, Nina, Ralf, Rieke, Dirk, Ellen, Linda 2. Dirk, Ellen, Florian, Linda, Mark, Nina, Ralf, Rieke 3. Dirk, Florian, Mark, Ralf; Ellen, Linda, Nina, Rieke

Seite 7

1. Berufe: Bauer, Gärtner, Richter, Kaufmann, Maurer, Fischer, Bäcker; Eigenschaften: Kurz, Neu, Lang, Groß, Jung, Schön, Blau; Tiere: Specht, Bär, Fuchs, Hahn, Fink, Vogel, Wolf

Seite 8

1. Bett, Ball, Zange, Hammer, Boot, Topf, Lampe, Taschenlampe, Block, Nagel, Stuhl, Auto, Eimer, Messer 2. Schuhe, Hose, Socke, Jacke, Wecker, Teddy 3. Schuhe, Hose, Socke, Jacke, Wecker, Teddy

Seite 10

1. Esel, Stuhl, Uhu, Wolke, Beil, Anker, Leiter, Tor 4. Klara, Alexander, Laura, Tobias

Seite 11

1. F-J-S-C-H; M-A-U-S; K-A-M-E-L; H-A-S-E; J-G-E-L; E-N-T-E; H-U-N-D; S-C-H-N-E-C-K-E

Seite 12

2. ALLES GUTE ZUM GEBURTSTAG

Seite 13

1. Thomas besucht am Morgen Opa und Oma. Jhre Katze hat Junge bekommen. Die Kleinen haben die Augen noch geschlossen. Thomas will auch eine Katze haben. 2. Sandra, Sebastian, Tobias, Sven, Jutta, Jens, Britta

Seite 14

2. Heft, Stuhl, Kreide, Buch, Schwamm, Lineal, Farbkasten, Tisch, Tafel 3. Kanne, Herd, Bild, Topf

Seite 15

1. Laura, heute, Freundinnen, Schulhaus, Leider, Zeit, kauft, ein, beim, einen, Laib, beim, Aufschnitt 3. Kleider, zwei, drei, faul, Feind, scheinen, Laus, schreiben, Speise, Haus, Geigensaite

Seite 16

1. der Vater, der Sohn, das Buch, die Mutter, das Baby, der Tisch, die Tochter, das Bild, die Tür 2. Vater, Sohn, Tisch; Mutter, Tochter, Tür; Buch, Baby, Bild 3. Der, die, das, der, die, der, das

Seite 17

1. ein Bär, ein Schwein, eine Kette, eine Geige, eine Ente, eine Flöte, eine Puppe, eine Eisenbahn, eine Blume, ein Ball, eine Maus, eine Brille, eine Uhr, ein Auto, ein Kreisel, eine Trompete, ein Springseil, ein Luftballon, ein Hase, ein Puppenwagen

Seite 18

1. Die, Die, Das, Das, die, Der, der, Das 2. blau: das, Der, Die, die, der, Die, Der, das, die, die, die; grün: Eine, ein, eine, Eine, Ein 3. die Nase, das Auge, der Mund, die Zähne, das Ohr, die Haare, das Knie, das Bein, die Haut, der Nagel, das Gelenk, der Finger

Seite 19

1. die Bälle; die Jgel; die Körbe; die Züge; die Mäuse; der Zäune; die Äpfel; die Teller; die Knöpfe; die Würste; die Hasen

Seite 20

1. Die Pferde traben in den Wäldern. Die Kinder spielen in den Sandkästen.Die Segelboote segeln über die Meere. Die Flugzeuge fliegen über die Häuser. Die Vögel zwitschern auf den Dächern. Die Affen klettern auf die Bäume. Die Autos stehen in den Garagen. Die Züge rollen über die Schienen. 2. das Huhn, der Mann, das Band, das Dach, die Frau, der Apfel, das Bild, die Flasche, die Feder, der Topf, das Kleid, der Korb, der Krug, die Tasse, die Birne

Seite 21

der Tisch - das Tischchen, das Bett - das Bettchen, der Topf - das Töfchen, der Stuhl - das Stühlchen, der Schrank - das Schränkchen, der Hut - das Hütchen, die Puppe - das Püppchen, die Gabel - das Gäbelchen, die Tasche - das Täschchen

Seite 22

1. Froschkönig; Kindergarten 2. Stuhlbein; Telefonbuch; Schüsselloch; Wurstbrot; Schweinestall 3. Hausordnung; Hauskleid; Hausschlüssel; Hausmeister; Haustreppe; Haustür; Hausarzt; Hausdach; Hausmusik

Seite 23

1. Schulhaus, Taubenhaus, Holzhaus, Rathaus, Puppenhaus, Lagerhaus, Reihenhaus, Schneckenhaus, Steinhaus, Gartenhaus 2. z.B.: Weihnachtsfeier, Weihnachtsstern..., Geburtstagskuchen, Geburtstagsessen..., Sonntagsanzug, Sonntagskleid..., Schmetterlingsnetz, Schmetterlingssammlung...

Seite 24

1. schwimmen, lesen, duschen, einkaufen, malen, telefonieren, laufen, schreiben 2. Katze: klettern, lauern, miauen, springen; Frosch: hüpfen, quaken, springen; Ente: gründeln, fliegen, schwimmen, schnattern, watscheln; Huhn: gackern, picken, scharren

Seite 25

1. Die Vögel fliegen im Käfig. Die Fische schwimmen im Aquarium. Die Hühner gackern im Hühnerstall. Die Pferde wiehern im Pferdestall. Die Hunde bellen im Hof. 2. schlafen, laufen, nagen, fallen, eilen, lesen, nehmen, tasten, singen, sehen, gehen, leben

Seite 28

1. Ränder, Bäder, Kälber, Wörter, Höfe, Dörfer, Hüte, Füchse, Kühe 2. Bädchen, Kälbchen, Wörtchen, Höfchen, Dörfchen, Hütchen, Füchschen, Füßchen 3. bläst, hält, bäckt/ backt, fährt, schläft, lädt, rät

Seite 29

1. Oma saugt. Oma fegt. Oma reinigt. Oma wischt. Oma säubert. 2. Oma putzt das Silberbesteck. Oma saugt den Teppich. Oma fegt den Flur. Oma reinigt die Gläser. Oma wischt den Boden. Oma säubert die Schubladen. 3. Die Katze schläft auf dem Sofa. Die Katze frisst aus ihrem Schüsselchen. Die Katze kratzt sich hinter ihren Ohren. Die Katze lauert auf eine Maus. Die Katze springt auf den Tisch.

Seite 30

1. Der Fuchs lauert auf Beute. Der Hase schlägt einen Haken. Die Ente watschelt über den Hof. Der Löwe schleicht sich an eine Beute an. Der Fisch schwimmt im Aquarium. Die Schlange schlängelt sich durchs Gebüsch. Der Frosch hüpft in den Teich. 2. Die Jungen werfen einen Ball. Markus trifft ein Mädchen am Kopf. Die Lehrerin ermahnt Markus.

Seite 31

1. Wie lange dauert die Busfahrt? Wer begleitet uns? Wo können wir spielen? Wann wandern wir? Wann holt uns der Bus wieder ab? Wann sind wir wieder zu Hause? Wo steigen wir aus? 2. Kannst du nachts schlafen? Wie lange musst du im Bett bleiben? Wann darfst du aufstehen? Langweilst du dich? Wann wirst du entlassen? Jst die Schwester nett? Was machst du am Nachmittag?

Seite 32

1. Erhole dich gut! Nimm die Tabletten! Denke an deine Gesundheit! Vergiss deine Freunde nicht! Schreibe der ganzen Klasse einen Brief! Gehe an die frische Luft! Ziehe dich für die Spaziergänge warm an! Schone dich! Höre auf den Arzt!

Seite 33

1. Drachen, Decke, Delfin, Duschgel, Diafilm

Seite 34

2. Dienstag, David, Dennis, Dänemark, David, Drachen, Dorf, Dame, David, Drachen, Dann, Dort, Dennis, Drachen 3. David, Bruder, David, Faden, David, Faden, Laden, freundliche, bedient, bindet, David, Ende, Fadens, beiden, Kinder, Bruder 4. David spielt mit seinem Dackel. Gemeinsam lassen sie ihren Drachen steigen. Sie liegen auf einer Decke. Der Drachen landet auf einem Dach. Jm Laden bedient sie eine Dame.

Seite 35

1. Er geht ins Dorf. Eine Dame bedient ihn freundlich. David bindet seinen Drachen am Ende des Fadens fest. Dann laufen die beiden Kinder zu einer großen Wiese. 2. Zum Beispiel: binden, senden, fanden, die Kinder, der Sand, der Faden 3. melden, reden, senden, werden, binden, baden, finden, landen

Seite 36

1. Bart, Wort, Tafel, Brot, Hut, Tor, Telefon, Tomate 2. gut, alt, laut, weit, kalt, breit, hart, bunt 3. er singt, er klettert, er taucht, er schwimmt, er bastelt, er malt

Seite 37

1. das Brot, der Mund, das Boot, das Bild, das Heft, das Pferd, das Geld, die Hand, das Zelt, das Paket, der Bart, der Elefant, das Kleid, der Arzt, das Hemd 2. das Land - die Länder, der Punkt - die Punkte, das Paket - die Pakete, der Wind - die Winde, der Hund - die Hunde, die Wand - die Wände

Seite 38

1. Pizza, Brief, Pinsel, Blume, Bäcker, Burg, Bild, Baum, Puppe, Post, Büro, Paket, Pflaster, Pfeil, Bus, Bart, Berg, Pferd, Bild, Polizist

Seite 39

1. schreibt kommt von schreiben, daher schreibe ich b/ glaubt kommt von glauben, daher schreibe ich b/ treibt kommt von treiben, daher schreibe ich b/ übt kommt von üben, daher schreibe ich b/ pumpt kommt von pumpen, daher schreibe ich p 2. er gräbt, er schreibt, es hupt, es piept, er gibt, er bleibt, er färbt, sie glaubt, sie webt, sie raubt, sie lebt, sie hebt, es schabt, es trabt 3. ein halbes Pfund, das trübe Wasser, ein plumper Versuch, das liebe Kind, ein gelbes Auto, ein grober Fehler, eine taube Frau

Seite 40

1. sie fragt, er fegt, er liebt, es lügt, es funkt, es stinkt, sie pflegt, sie winkt, es sägt, sie trägt, sie wirkt, er bewegt, es blinkt, er quakt, er schenkt, es sinkt; er merkt, er singt, sie dankt, er klagt 2. Technik (gelb), König, Käfig, Essig; Spuk (gelb), Betrug, Pflug, genug; Fang (gelb), Schrank, Bank, krank; zanken (gelb), bangen, Wangen, fangen

Seite 41

1. das junge Kind - jung, das lange Gedicht - lang, der strenge Lehrer - streng, das schräge Dach - schräg, die schlanke Frau - schlank, der starke Kaffee - stark, das flinke Wiesel - flink, das welke Blatt - welk, das kluge Kind - klug, der kranke Onkel - krank 2. Gabel, Gesang, Getränk, Kiste, Kranz, Kugel 3. fängt, springt, fliegt, parkt, liegt, hängt, biegt, schlägt, denkt

Seite 42

1. blau: Stern, Stift, Stachel, Sturm, Stimme, Stoff, Sturz, Stelle, Stunde Stein, Storch 2. grün: Spur, Spalt, Speck, Spieß, Spiel, Spaß, Spitze, Sport, Spinat, Specht 3. stehen, stürzen, stoßen, spülen, spinnen, stellen, spannen, springen, steigen 4. still, steinig, stark, stur, spät

Seite 43

1. Namenwörter: Strauch, Strafe, Strauß, Strand, Streifen, Strahl, Straße; Tunwörter/Wiewörter: streunen, streiten, straff, streichen, stricken, streng, strecken 2. springen, Sprung, Sprungbrett, Sprungtuch; spritzen, Spritze, Spritzbeutel; sprühen, Sprühdose, Sprühflasche; sprechen, Sprache, Spruch, Sprichwort, Sprecher

Seite 44

1. Sommer, Dennis, treffen, Mittag, Schwimmbad, schwimmen, Wette, tollen, fallen, Wasser, Ball, lassen, Ball, rennen, Dennis, Kamm, vergessen 2. bitten, anfassen, treffen, scharren, klirren, jammern, kommen; rennen, bummeln, gewinnen, klettern, schwimmen, knattern, essen; schwimmen, spinnen, brüllen, einsperren, murren, küssen, klappern

Seite 45

1. Zum Beispiel: Mutter, Butter, Futter; Tanne, Panne, Kanne; Schwamm, Damm, Lamm; Pille, Rille, Brille 2. schallen, retten, fallen, rollen, grillen 3. Fäs-ser, Wet-ter, Ham-mer, Tel-ler, Spin-ne, Him-mel, Bril-le, ren-nen, kom-men, brum-men, knal-len, knur-ren, son-nen, klet-tern, rol-len, sum-men

Seite 46

1. Paar, Haar, Saat, Saal; Moor, Moos, Boot, doof; Meer, Teer, Beet, leer 2. Kaffee, Schnee, leer, Zoo, Boot, Moos, Speer, Klee, Haar, Saat, Seele, Saal, Moor, Waage, doof, Beet

Seite 47

1. quieken, quasseln, Quittung, Quelle, Qualle, quetschen, Quadrat, queren, quälen, quengeln 2. Alex, Axt, Boxer, Felix, Haxe, Hexe, Max, Nixe, Taxi, Xaver, Xylophon

Seite 48

1. Brief, Ziege, Stiefel, Spiegel, Bier, Dieb, Sieb, Wiege, Biene, Fliege 2. zum Beispiel: Sieb, Wiege, viel, Wiese, Bier, lieben, schielen, fließen, siegen, frieren

Seite 49

1. Lied, Wiese, Bier, Spiel, Trieb, Stiel, Brief, Sieb, Biene, Stier, Dieb, Fliege, Papier, Ziel 2. grüne Wurstabschnitte: schließen, gießen, fließen, schießen; blaue Wurstabschnitte: wiegen, siegen, liegen, kriegen, biegen, fliegen 3. Stierkampf, Bierfass, Tierheim, Wiesenblume, Riesenspaß, Spiegelglas, Kniescheibe